Une chouette peut-elle chasser le jour?

Non, les chouettes se nourrissent de souris et d'insectes qui ne sortent que la nuit.

Soulève les rabats pour comparer la vie le jour et la vie la nuit.

Déjeuner

Nous avalons environ 25 000 déjeuners pendant toute notre vie.

Tous en chœur

Les oiseaux chantent doucement à l'aube pour avertir leurs rivaux de rester à l'écart.

JOUR

Explore le monde à la lumière du jour

Claire Llewellyn

Les éditions Scholastic

Le **matin** est le **début** d'une nouvelle **journée**

Le lever du soleil

Chaque matin, le soleil se
lève et brille haut dans le
ciel sur les villes et les
campagnes.

Bonjour !

De nombreux oiseaux
et animaux se
réveillent à l'aube.
C'est le moment
où les coqs
commencent à
chanter.

4

L'après-midi

Les ombres restent longtemps l'après-midi, alors que le soleil décline lentement.

Anecdote jour
Lorsque c'est le jour à Moscou, c'est la nuit à New York.

Le ciel s'éclaircit le matin.

Anecdote nuit
Lorsque c'est la nuit à Moscou, c'est le jour à New York.

Bien dormi ?

Nous nous réveillons après une bonne nuit de sommeil, prêts à attaquer une nouvelle journée.

Le soleil est une source d'énergie de la vie terrestre.

Un penchant pour le soleil

Les plantes ont besoin de soleil pour pousser.
Le tournesol tourne doucement sa tête de façon à ce qu'elle soit toujours face au soleil.

Les feuilles absorbent la lumière du soleil.

La puissance du soleil

Les plantes poussent mieux dans les endroits où il y a du soleil et beaucoup de pluie.

Feuilles

Les feuilles vertes utilisent le soleil, l'air et l'eau pour nourrir les plantes.

Source de vie

De nombreux animaux se nourrissent des aliments stockés dans les plantes.

Les **animaux** diurnes utilisent leurs yeux pour chercher leur **nourriture**.

Le long bec des oiseaux leur permet d'attraper les fruits mûrs.

Rien ne lui échappe
Le toucan se nourrit le jour. Il a besoin de beaucoup de lumière pour voir dans la forêt tropicale.

Je suis invisible !

Les animaux sont facilement capturés le jour. Ce crapaud utilise un camouflage pour se cacher.

Anecdote jour

Les chiens sont actifs pendant la journée. C'est le moment où ils aiment jouer.

Anecdote nuit

Les chats sortent la nuit. C'est le moment où ils aiment chasser.

Lion y es-tu ?

L'impala a les yeux sur le côté de la tête. Tout le troupeau surveille sans cesse pour s'assurer que le lion affamé n'est pas dans les parages.

Bain de soleil

Les lézards ont besoin de soleil pour bouger. Ils deviennent mous s'il fait froid.

Le **jour**, les gens travaillent, se détendent et jouent.

Un coiffeur

Une journée de travail

La plupart des gens travaillent le jour. Un travail permet de gagner de l'argent pour acheter de la nourriture, des vêtements et une maison.

Une employée de bureau

En forme en s'amusant

Le jour ne sert pas seulement à travailler. Le sport est amusant e permet de garder la forme.

Trois repas par jour

Les repas sont l'occasion de
se détendre, de discuter et
de bien manger.

À l'école

Pendant la semaine, les enfants
vont à l'école pour apprendre et
jouer avec leurs camarades.

Soleil et ombre
Ton ombre te suit
lorsqu'il y a du soleil,
mais elle disparaît la nuit.

Lever du soleil
Aux premières lueurs, les
plantes commencent à capter
la lumière du jour.

Cr

Après-midi

Matin

OÙ LE SAVOIR VIENT À LA VIE
Visitez-nous sur Internet www.dk.com

Rédaction Jane Yorke
Directrice à la rédaction Mary Atkinson
Directeur Artistique Chris Scollen
Maquettiste Mary Sandberg
DTP Phil Keeble
Fabrication Josie Alabaster
Couverture Joe Hoyle
Recherche photos Jamie Robinson
et Lee Thompson

Édition originale publiée en Grande Bretagne
par Dorling Kindersley Limited,
9 Henrietta Street,
London WC2E 8PS

Exclusivité en Amérique du Nord :
Les éditions Scholastic, 175,
Hillmount Road, Markham
(Ontario) L6C 1Z7, avec la permission
de Dorling Kindersley Limited.

ISBN : 0-439-00529-9
Titre original : Day and Night

Reproduction couleur par Colourscan, Singapoure
Imprimé et relié par L.E.G.O en Italie

Sommaire

Index jour